Noélie Via

G000139902

LA VÉRITABLE HiSTOiRE

de Margot

petite lingère pendant

la Révolution française

bayard poche

La véritable histoire de Margot a été écrite par Noélie Viallet
et illustrée par Prince Gigi.
Direction d'ouvrage : Pascale Bouchié.
Maquette : Natacha Kotlarevsky.
Texte des pages documentaires : Noélie Viallet.
Illustrations : pages 11, 18, 25, 35, 41 : Nancy Peña ; pages 8-9 : Charles-Eric Gogny
(couleurs : Anne Delobel) ; pages 20-21 : Michael Welply ; pages 44-45 : Emmanuel Cerisier.

La collection « Les romans Images Doc »
a été conçue en partenariat avec le magazine *Images Doc*.
Ce mensuel est édité par Bayard Jeunesse.

© Bayard Éditions, 2013
18 rue Barbès, 92120 Montrouge
ISBN : 978-2-7470-4587-2
Dépôt légal : mars 2013
6ᵉ tirage : octobre 2015

CHAPiTRE 1

LA FAMiLLE ROYALE

– Margot, as-tu terminé ton bol de soupe ?

– Oui, maman.

– Alors, viens vite qu'j'attache ton tablier dans le dos.

La fillette aux boucles blondes accourt vers sa mère, Cornélie. Puis elle se penche et appelle Brutus, son petit rat :

– Brutus, viens ! On part travailler.

L'animal se dresse sur ses pattes arrière et, hop, il se glisse dans la grande poche du tablier. En quittant la maison, Margot dépose un baiser sur la joue piquante de son père, Antoine. Il est ébéniste et il est en train de raboter un guéridon.

Margot passe devant la boulangerie. Des dizaines de Parisiens font la queue, depuis deux heures déjà.

« Il faudrait que maman y aille vite, si on veut avoir du pain », s'inquiète Margot. Le pain est si difficile à obtenir, et si cher…

La fillette traverse la Seine, passe devant les échoppes des marchands, hume les odeurs d'oignons grillés et croise quelques mendiants. Plusieurs fois par semaine, elle se rend au palais des Tuileries, où sont enfermés le roi, la reine et leurs deux enfants. Elle est chargée de laver leur linge. Elle est fière de ce travail ! Devant la première grille, elle se retrouve face au garde poilu qui lui fait toujours peur. Il a une dent toute noire et il ricane :

— Alors, la p'tite demoiselle, on vient chercher le linge ?

Margot tremble, mais elle répond :

— Oui, monsieur, puis-je passer ?

— Fais voir ce que t'as là-dedans ! Des fois qu'tu cacherais un message secret pour ces messieurs-dames, leurs Majestés.

Le garde fouille dans la corbeille en osier de Margot :

– C'est bon !

Margot se retrouve à l'intérieur. Elle respire. Brutus aussi a eu peur, son petit cœur bat la chamade. Une gouvernante attend la lingère et lui jette un gros paquet de linge sur les bras.

– Hé, doucement ! proteste Margot.

Derrière la porte entrouverte, elle aperçoit Marie-Antoinette, archiduchesse d'Autriche et reine de France. Elle admire sa belle robe de taffetas violet. La reine brode, tandis que le roi Louis XVI montre une mappemonde à leur fils, le dauphin Louis-Charles. Margot croise le regard de la reine, qui lui fait signe d'approcher. Impressionnée, la petite lingère s'incline devant Marie-Antoinette. Celle-ci lui sourit :

– Margot, je vous remercie pour votre linge qui sent bon le bleuet. Je suis enfermée ici, et cette odeur me rappelle la campagne que j'aime tant.

La reine tend à Margot un écu d'argent. La gouvernante a l'œil qui brille d'envie ! Margot fourre l'écu dans sa poche et murmure à son rat :

suite page 10

LES ÉTATS GÉNÉRAUX

Le 5 mai 1789, Louis XVI réunit à Versailles des représentants de tous les Français pour écouter leurs réclamations.

1. Le drapeau blanc à fleurs de lys est l'emblème de la royauté française. Sous la pression générale, le roi a convoqué les États généraux. Cela fait cent soixante-quinze ans qu'il n'y en a pas eu en France.

2. La procession réunit près de 1 200 députés. Ils représentent les trois ordres 291 pour le clergé, 271 pour la noblesse et 578 pour le tiers état.

3. La tenue noire est le costume des députés du tiers état. Les vêtements des députés ont été choisis par le roi.

Le clergé porte une cape violette et la noblesse une cape brodée d'or.

4. Les députés du tiers état

vont présenter au roi des « cahiers de doléances » sur lesquels le peuple a écrit ses plaintes. 60 000 cahiers ont été écrits dans toute la France.

5. Le peuple

applaudit ses représentants, les députés du tiers état. Tous espèrent que la réunion des États généraux va améliorer leur vie.

Mais, finalement, le roi parle d'augmenter les impôts, et les députés sont très déçus. Bientôt, ils vont former une Assemblée nationale.

6. Un marchand ambulant

porte sur son dos une fontaine de fer-blanc. On peut lui acheter à boire.

– Le mange pas, Brutus !

Puis elle quitte le palais avec son panier sur la hanche. Il est lourd à porter, mais Margot est robuste pour ses 9 ans. Sur le quai Voltaire, elle reçoit des épluchures sur la tête. Quelqu'un a jeté ses déchets par la fenêtre.

– Hé, faites attention ! lance Margot.

Derrière elle, elle entend un grand éclat de rire. Qui se moque d'elle ainsi ? Margot fait volte-face. Quelle surprise ! C'est Marcelin, son ami. Il a 12 ans et est apprenti boucher. Ce coquin se met à chanter à tue-tête :

Ah, ça ira, ça ira, ça ira !

Marc'lin et Margot chantent à la guinguette !

Ah, ça ira, ça ira, ça ira !

Réjouissons-nous, l'bon temps r'viendra !

– Le bon temps ? réplique Margot. Celui où tous les Français mangeront à leur faim ?

Marcelin est un vrai révolutionnaire. Il explique à Margot ce qui se passe dans les assemblées des quartiers de Paris :

– Enfin le peuple s'exprime, le roi et les nobles ne sont plus tout-puissants.

suite page 12

POURQUOI UNE RÉVOLUTION EN FRANCE ?

Que veut dire « révolution » ?

« Révolution » signifie que l'on change totalement de façon de faire. La Révolution française dure de 1789 à 1799 et change le fonctionnement politique du pays. La France passe de la monarchie à la république.

La France est divisée

En 1789, la société française est divisée en trois ordres : le clergé (les religieux), la noblesse (des familles aisées depuis le Moyen Âge) et le tiers état qui représente 96 % de la population (des paysans, des artisans, des bourgeois). Le tiers état n'a pas de privilèges comme la noblesse et le clergé : il paie tous les impôts.

Les Français ont faim

Depuis 1786, le gel et la pluie détruisent les récoltes de blé. Le pain coûte de plus en plus cher. Certains Français ne peuvent plus en acheter : ils vivent dans la misère et la faim. Ils travaillent pourtant plus de dix heures par jour.

En Amérique, le peuple s'émancipe

De l'autre côté de l'Atlantique, les colonies anglaises d'Amérique ont réclamé leur indépendance. Le roi Louis XVI les a même aidées. Le 20 janvier 1783, les États-Unis d'Amérique deviennent une nation. Leur Constitution déclare que les hommes sont libres et égaux en droits. C'est un modèle pour les révolutionnaires français.

Le roi n'inspire plus confiance

Pour certains, le roi Louis XVI ne prend pas les bonnes mesures pour résoudre les problèmes du pays. À la fin des années 1780, des émeutes ont lieu dans toute la France. Les gens se réunissent dans des clubs pour discuter politique. En 1791, la famille royale tente de s'enfuir à l'étranger, en se déguisant. Mais le roi est reconnu et il est enfermé avec sa famille au palais des Tuileries. Le peuple n'a plus confiance en son roi.

De retour à la maison, Margot trouve sa mère très agitée… Que se passe-t-il ?

— J'vais te confier un secret, lui dit Cornélie.

Une bougie à la main, elle entraîne sa fille dans l'escalier sombre qui descend au sous-sol. Margot n'en croit pas ses yeux :

— Mais, monsieur le curé, que faites-vous dans la cave ?

— Ma p'tite Margot, l'église a été réquisitionnée et je dois me cacher, explique le père Martin. En m'aidant, ta mère prend beaucoup de risques*…

---

*Pendant la Révolution, les prêtres qui avaient refusé de prêter serment de fidélité à la nation étaient pourchassés, ainsi que ceux qui les cachaient.

CHAPiTRE 2

L'ÉMEUTE

Les jours suivants, Margot a frotté au savon les chemises, les draps et les bonnets. Puis elle a fait sécher le linge au soleil. Ce matin-là, elle le repasse, en faisant attention de ne pas le brûler. Elle passe son doigt sur les initiales brodées de la reine, le M et le A. « Comme c'est élégant ! » pense-t-elle.

Guillerette, elle repart avec son panier de linge vers

le palais des Tuileries. Au mur, une image l'arrête et lui fait froncer les sourcils : le roi est dessiné en cochon. Il est écrit : « À bas le roi, le gros cochon ! » À côté, des journaux placardés racontent que la France pourrait être envahie par l'Autriche, le pays de Marie-Antoinette.

Quand elle arrive au palais, Margot trouve la grille grande ouverte. Pas de garde ! Elle entre et entend des cris, des rires. Une immense foule a envahi les Tuileries. C'est un raz-de-marée de milliers de Parisiens ! Certains sont même montés dans les appartements royaux.

Margot gravit à toute allure les marches de l'escalier des domestiques. En tremblant, elle observe la scène et reconnaît certains manifestants. « Lui, c'est Santerre, le brasseur, et lui, Legendre, le boucher ! Ils brandissent des tranchets et des piques. Et le garde est là, à crier lui aussi. »

Le roi fait bonne figure, mais la reine semble terrifiée. Tout d'un coup, Margot distingue Marcelin, au milieu des révolutionnaires qui entourent le couple royal. Effrayée, elle met la main devant le museau de Brutus pour qu'il ne couine pas :

– Chut, Brutus ! Il n'faut pas que Marcelin nous voie. Sinon la reine saurait que je suis amie avec des sans-culottes*. Et elle me renverrait !

Des émeutiers brandissent des pancartes : « À bas le veto ! » Margot se rappelle ce que Marcelin lui a expliqué. Le roi a dit non aux décisions de l'Assemblée du peuple, il a posé son veto. De quoi mettre en colère les Parisiens !

Legendre, le patron de Marcelin, pousse le roi dans l'embrasure de la fenêtre :

– Monsieur, vous êtes un perfide, vous nous trompez ! Le peuple en a assez d'être votre jouet !

Le roi reste très calme :

– Je suis votre roi. Je respecte la Constitution* de la France. J'aime mon pays, j'aime mon peuple.

Soudain, un homme fonce sur le roi avec une pique. Margot retient son souffle. Mais des soldats repoussent l'assaillant avec leurs baïonnettes. Une femme insulte la reine et crache dans sa direction :

– À mort, l'Autrichienne !

* On appelait ainsi les révolutionnaires parce qu'ils ne portaient pas les culottes et les bas de soie des riches, mais des pantalons.
* La Constitution est la loi qui organise le pouvoir politique du pays.

suite page 19

LA FAMILLE ROYALE

Louis XVI

Louis XVI devient roi de France à 20 ans, après la mort de son grand-père, Louis XV. Il est très croyant et se passionne pour la géographie et les sciences. Au début, les Français lui obéissent et le respectent. Mais son caractère indécis et timide ne le prépare pas à diriger un royaume en crise. Accusé de trahison par les révolutionnaires, il meurt sur l'échafaud à 39 ans (voir p. 44).

Marie-Antoinette

Fille de l'empereur d'Autriche, elle épouse Louis XVI à l'âge de 14 ans. Elle est surnommée Madame Déficit, car on lui reproche d'être trop dépensière avec l'argent du royaume. Elle aime la mode, l'art et la musique. Mais elle vit beaucoup de moments difficiles à la Révolution. « C'est dans le malheur que l'on sent davantage ce que l'on est », a-t-elle dit. Digne, elle soutient son mari jusqu'au bout. Le 16 octobre 1793, elle est décapitée.

Leurs enfants

Le couple royal a quatre enfants. Deux d'entre eux meurent très jeunes, avant leurs parents. Après que le roi et la reine ont été guillotinés, leurs deux enfants survivants restent en prison.

• **Louis-Charles**, devenu Louis XVII pour les royalistes, meurt à l'âge de 10 ans, en 1795, dans la prison du Temple.

• **Marie-Thérèse Charlotte** est la seule survivante de la Révolution : elle est échangée contre des prisonniers français en Autriche. Jusqu'à sa mort en 1851, elle vit à la cour d'Autriche, dans la famille de sa mère.

Madame Élisabeth

Jeune sœur du roi Louis XVI, elle suit la famille royale dans la prison du Temple pour s'occuper de son neveu et de sa nièce. Le 10 mai 1794, elle est exécutée.

– Quel mal vous ai-je fait ? répond la reine. J'ai épousé le roi de France et je ne reverrai jamais mon pays. J'étais heureuse quand vous m'aimiez…

La femme semble touchée par les mots de la reine, et ne dit plus rien. Deux hommes posent un bonnet rouge sur la tête du roi. L'assistance glousse. Un révolutionnaire tend un verre de vin au roi :

– Trinquons à la France !

Le roi lève son verre et lance :

– Vive la Nation !

Les Parisiens sont contents et certains clament :

– Vive le Roi !

Un homme monte sur un fauteuil et harangue les émeutiers :

– Retirons-nous maintenant, laissons-là le roi.

Sur la pointe des pieds, Margot redescend, file par la porte de service, et se retrouve à l'extérieur, dans le jardin. Ouf ! Dehors elle se sent mieux !

Mais, quand Margot arrive chez elle, elle trouve son père prostré. Il lui raconte en pleurant :

suite page 22

LA PRISE DE LA BASTILLE

Le 14 juillet 1789, des Parisiens en colère s'attaquent à une forteresse qui représente le pouvoir du roi.

1. La Bastille est une prison où le roi a le droit d'enfermer qui il veut. C'est aussi une réserve de poudre et de munitions.

2. Les tours mesurent 30 mètres de haut. Quelques prisonniers y sont enfermés. Sept d'entre eux sont libérés par les manifestants.

3. Des canons sont placés au sommet des tours. Lors de l'attaque, le gouverneur de la prison fait tirer sur la foule.

4. Les assaillants sont 40 000. Ils sont en colère parce que le roi a installé des soldats étrangers autour de Paris et a renvoyé son ministre Necker, prêt à faire des réformes.

5. Un fusil à baïonnette : les manifestants ont pris 30 000 fusils et des canons aux Invalides, un bâtiment appartenant à l'armée française. Ils viennent à la Bastille pour chercher de la poudre et des cartouches.

6. Le bicorne est un chapeau à deux pointes porté par les hommes à l'époque.

7. Le pont-levis : les révolutionnaires tranchent ses cordes à coup de hache et pénètrent dans la forteresse.

8. Un blessé : la prise de la Bastille fait 98 morts et 73 blessés. Le gouverneur se rend, mais il aura la tête coupée. La forteresse est complètement détruite les jours suivants.

— Ta mère faisait cuire la fricassée quand, soudain, des gardes sont arrivés. Ils l'ont emmenée de force, ainsi que le père Martin.

— Comment savaient-ils que le curé était là ?

— Des voisins ont dû nous dénoncer.

Margot s'écroule dans les bras de son père en sanglotant :

— Que va-t-il arriver à maman ?

Ce soir-là, elle invite Brutus à la rejoindre sur sa paillasse :

— Tu as le droit de dormir avec moi, Brutus, lui dit-elle, je suis si triste…

CHAPiTRE 3
LA FÊTE

Les semaines passent. Margot et son père Antoine sont sans nouvelles de Cornélie. Elle est sûrement enfermée dans une geôle de la ville, mais ils ne savent pas laquelle. Margot aide son père du mieux qu'elle peut et continue à laver le linge de la famille royale.

— Aujourd'hui, montre tes crocs au garde, hein ! demande-t-elle à Brutus, grimpé sur son épaule.

– Bonjour, monsieur le garde, dit-elle en souriant.

Pour toute réponse, le garde à la dent noire lui souffle une bouffée de fumée de pipe à la figure. Elle pense très fort : « Pouah ! Quel dégoûtant ! »

Alors qu'elle récupère le linge, la gouvernante lui murmure à l'oreille :

– Margot, on a essayé d'assassiner la reine en pleine nuit. Maintenant, il y a un chien dans sa chambre : si quelqu'un entre, il aboiera ! Plus personne ne peut voir la reine. Tiens, voilà le panier.

Margot rentre chez elle prête à se mettre à l'ouvrage quand Marcelin débarque :

– Y a une fête à Bourg-l'Égalité ! Vous venez avec moi, Margot, Antoine ?

– Bourg-l'Égalité, c'est où, ça ? demande Margot.

– C'est l'nouveau nom de Bourg-la-Reine* ! Plus question pour un bourg de porter un nom royal !

Antoine pose sa main sur l'épaule de sa fille :

– Vas-y, ma fille. Tu peux bien laisser ton linge pour une après-midi.

* Petite ville au sud de Paris.

suite page 26

DE LA MONARCHiE À LA RÉPUBLiQUE

La monarchie absolue

Jusqu'en 1789, le roi de France a tous les pouvoirs !
Il reçoit sa mission de Dieu et n'a pas besoin de l'avis
de ses sujets pour gouverner. Il décide de la guerre,
des droits accordés à ses sujets, de la justice.
Le clergé et la noblesse sont privilégiés.

Le pouvoir partagé

Le 17 juin 1789, les députés du peuple se sentent
incompris. Ils espéraient de grandes réformes, mais
le roi n'en fait pas. Ils se proclament « Assemblée
nationale ». Louis XVI doit maintenant partager le pouvoir
avec ces représentants du peuple. Il reste le chef
du gouvernement et peut s'opposer aux lois
de l'Assemblée : c'est le « droit de veto ».

Des Français libres et égaux

Pendant l'été 1789, des paysans s'attaquent aux châteaux
des nobles. La nuit du 4 août, les députés votent la fin
des privilèges, des droits réservés à la noblesse
et au clergé. Puis le 26 août, la « Déclaration des droits
de l'homme et du citoyen » proclame que « tous les hommes
naissent et demeurent libres et égaux en droits ».

Le peuple souverain

Le 22 septembre 1792,
la royauté est abolie : la
Ire République est proclamée.
Une république est un pays
dont le gouvernement
appartient au peuple.
Désormais, les Français
peuvent choisir les hommes
qui vont les gouverner, en
exerçant leur droit de vote.
Mais ce droit n'est pas
donné aux femmes.

Les difficultés

749 députés élus forment
la première assemblée
républicaine. Elle gouverne
et fait les lois. Mais très
rapidement, les députés
se divisent en partis et
se disputent le pouvoir…
Le 9 novembre 1799,
un jeune général, Napoléon
Bonaparte, rétablit l'ordre
et prend le pouvoir par
la force. La Révolution
est terminée.

Dans la diligence qui les mène à Bourg-l'Égalité, Margot et Marcelin sont secoués. Par la fenêtre, ils aperçoivent une troupe de soldats qui chantent :

Aux armes, citoyens,
Formez vos bataillons,
Marchons, marchons !
Qu'un sang impur
Abreuve nos sillons !

Marcelin est aux anges :

— Ce sont les Marseillais qui viennent en renfort pour nous aider. Ce chant de guerre, on en parle déjà dans tout Paris !

Au bout d'une heure, les deux amis se retrouvent sur les pavés de Bourg-l'Égalité.

La fête commence. Des gens dansent au son des violons et des tambours. Un commerçant propose :

— Citoyens ! Patriotes ! Achetez des poissons grillés et du fromage de cochon…

Plus loin, un camelot vend des estampes. Marcelin cache les yeux de Margot en riant :

— Ne regarde pas ! La reine y est représentée nue.

– Deux gaufres pour quelques deniers ! chante un vendeur ambulant.

Marcelin en achète une aussi pour son amie. Une petite fille rousse, vêtue de guenilles, s'approche d'eux :

– J'm'appelle Culotine et j'ai faim. Vous m'donnez d'la gaufre ?

Sous la table du buffet, les trois enfants partagent les gâteaux. Ils rigolent en voyant les jambes des dames qui portent des bas rayés bleu, blanc et rouge. Ils écoutent leurs bavardages :

– Les temps changent pour les nobles, le comte de Malaussène s'habille en noir…

– Avant, les prêtres n'avaient pas le droit d'avoir une compagne, mais le père Jaubert va se marier !

– Quand j'aurai 15 ans, je pourrai me marier avec toi ? glisse Marcelin à Margot, qui rougit.

– Paraît qu'ta mère est en prison ? lance soudain Culotine.

Margot écarquille les yeux :

– Comment le sais-tu ?

– Oh, j' traîne partout et j'écoute c'qui s'dit. En échange de quelques assignats*, j'peux trouver ta mère.

– Faut voir, réplique Marcelin. Si tu nous donnes des preuves, on peut faire affaire…

– J'vous dis dès que j'sais quelque chose, conclut Culotine.

Les enfants ont fini les gaufres et s'extraient de leur cachette. Un homme s'égosille :

– Soldats-citoyens, engagez-vous dans l'armée ! La patrie est en danger ! La Prusse s'est alliée à l'Autriche pour attaquer la France.

* Billets.

CHAPiTRE 4

PANiQUE AUX TUiLERiES

Ce matin d'août, des lavandières font sécher les draps au soleil sur les quais de la Seine. Margot porte dans ses bras un bel édredon bleu qu'elle a mis plusieurs jours à nettoyer. Elle s'arrête devant l'échoppe de l'éventailliste et pense : « J'aimerais tant avoir un bel éventail, comme la reine… » Brutus sort son nez du tablier et remue le museau.

– Toi aussi, tu le trouves joli, hein ! s'exclame Margot.

Elle longe la Seine et arrive au palais. Un silence de mort a envahi les lieux. Seul un marchand de harengs a installé là son éventaire. Ses poissons pendent et diffusent une odeur de fumé.

La grille du palais est fermée. Margot la secoue de toutes ses forces.

– Hé, ouvrez-moi ! Je dois rendre son édredon à la reine.

Pas de réponse. Elle envoie Brutus en éclaireur :

– Brutus, va voir ce qui se passe et reviens vite !

Le rat passe entre deux barreaux de la grille et se faufile dans les Tuileries.

Margot attend plusieurs minutes qui lui paraissent interminables. Enfin Brutus revient, avec de la farine sur le museau et un éventail mauve entre les dents.

– Petit coquin, où as-tu trouvé cela ? demande-t-elle à Brutus en prenant l'éventail.

Soudain une porte du palais s'ouvre : c'est la gouvernante. Derrière elle, des sacs de farine éventrés gisent au sol.

– Ma p'tite Margot, tu n'as donc pas su ce qui s'est passé ? C'est fini, ici ! Ils sont venus avec leurs baïonnettes et leurs canons. Il y a eu des morts.

– Mais le roi et la reine ? demande Margot.

– À l'heure qu'il est, Louis Capet* et l'Autrichienne sont en prison. Tu peux garder l'éventail en souvenir de la reine.

– En prison ? s'étonne la fillette.

On donnait ce nom à Louis XVI, à cause de son ancêtre Hugues Capet.

Soudain, le garde poilu surgit aux côtés de la gouvernante. Il ricane :

– Ils sont dans la tour du Temple. Les murs font deux mètres d'épaisseur, ils ne risquent pas de s'évader !

Margot glisse l'éventail dans sa poche, et décide d'aller au Temple. Elle veut à tout prix rendre l'édredon à la reine. Elle interroge un passant :

– Monsieur, où se trouve la tour du Temple ?

– Tout droit, citoyenne ! Puis tu tournes à droite.

Devant la forteresse du Temple, un groupe de savetiers* est en train de chanter :

* *Ils fabriquaient ou réparaient les chaussures.*

Dansons la carmagnole,
Vive le son, vive le son !
Dansons la carmagnole,
Vive le son du canon !
Monsieur Veto avait promis
D'être fidèle à son pays,
Mais il y a manqué,
Ne faisons plus quartier.

Marcelin est là !

– Que s'est-il passé ? lui demande Margot.

– Les Prussiens menacent de détruire Paris si on fait du mal à Louis XVI, répond le garçon. On n'peut pas accepter ça ! L'Assemblée a déchu le roi de ses fonctions : il n'est plus roi.

Margot baisse la tête. Elle fait confiance à Marcelin, mais elle a le cœur serré en pensant à la reine enfermée dans ce sinistre endroit.

– Comment vais-je rendre son édredon à la reine ? s'inquiète-t-elle.

Marcelin sait que Margot ne pourra plus voir la reine. Il la prend par le bras :

– C'est sans importance maintenant. Viens, il faut que je te parle.

Tandis qu'ils marchent, Marcelin explique à Margot :

– Culotine sait où est ta mère…

Tremblante d'émotion, Margot saisit la main de son ami :

– Qu'est-ce qu'elle propose ?

– Rendez-vous demain au croisement de la rue des Poules et de la rue du Puits-qui-parle. Mais…

suite page 36

LES SYMBOLES DE LA RÉVOLUTION

La Marseillaise

En avril 1792, le maire de Strasbourg demande à un jeune capitaine, Rouget de Lisle, de composer un chant pour les volontaires de l'armée du Rhin. Puis, au moment de la prise du palais des Tuileries, en août 1792, le chant est rendu populaire par des soldats marseillais, d'où son nom. Il devient un chant patriotique connu dans toute la France. Depuis 1879, c'est l'hymne officiel de la France.

Le drapeau français

Avant la Révolution, le drapeau blanc du roi est décoré de fleurs de lys.

Le drapeau bleu, blanc, rouge apparaît au début de la Révolution. Le bleu et le rouge sont les couleurs de Paris. Depuis 1794, il est le symbole officiel de la République française.

La cocarde tricolore

Le 17 juillet 1789, Louis XVI est reçu par le maire de Paris qui lui donne un ruban bleu, blanc, rouge. Cet insigne rond aux couleurs de la France est le symbole des révolutionnaires, et le roi l'accroche à son chapeau.

Le 14 Juillet

Les Français prennent l'habitude de se réunir pour fêter la prise de la Bastille. Depuis 1880, le 14 juillet est le jour de la fête nationale française.

La devise de la France

C'est la Révolution qui a introduit les idées de liberté, égalité et fraternité. Depuis 1848, c'est la devise de la France.

La guillotine

Son nom vient du docteur Guillotin, député pendant la Révolution. Il propose que les condamnés à mort aient la tête tranchée avec une machine qui assure une mort rapide et sans torture. La guillotine fonctionnera en France jusqu'à ce que la peine de mort soit abolie en 1981.

– Mais quoi ? s'inquiète Margot.

– Mais Culotine réclame mille livres, soupire Marcelin.

– Mille livres, mais on ne les aura jamais !

Soudain, Brutus pousse l'éventail hors de la poche du tablier. Margot murmure :

– On pourrait vendre l'éventail de la reine…

CHAPiTRE 5

ViCTOiRE !

Le lendemain, Margot se lève très tôt et met ses plus beaux habits. Elle se poste sur la place des marchands et accoste les dames :

– Madame, un éventail ?

– Oh, il est coquet, d'où vient-il ? Combien coûte-t-il ?

– Il vient d'une fabrique très réputée, madame. J'en veux mille livres.

— Mille livres ? Oh non, camarade, c'est trop cher par les temps qui courent… Si encore il avait été bleu-blanc-rouge. Mais là…

Vingt-cinq dames refusent l'éventail. Enfin, Margot trouve un gentilhomme qui l'achète pour huit cents livres.

« Comment vais-je faire ? se demande Margot. Il me manque deux cents livres. »

Marcelin arrive en courant :

— Vite, il faut se dépêcher d'aller au rendez-vous de Culotine.

Margot a du mal à courir avec ses sabots. Marcelin la prend par la main et raconte :

— Culotine a soudoyé un gardien de prison : en échange d'argent, il lui a remis une clé pour libérer ta mère. J'ai aussi promis à Culotine de lui donner de la viande, ajoute Marcelin en montrant un énorme jambon au fond de son sac.

— Mais il me manque deux cents livres ! soupire Margot.

Marcelin sort de sa poche un assignat :

— J'ai chipé ça, sous le matelas de mon patron… Je le lui rendrai, ne t'inquiète pas.

Marcelin et Margot arrivent tout essoufflés à l'angle de la rue des Poules et de la rue du Puits-qui-parle. Culotine les y attend. Une main sur la hanche, elle mâche un petit bout de bois. Elle tend sa paume :

– Par ici, l'argent. En échange, voici la clé. Mais faites vite ! Ça va barder dans l'coin.

Margot a le sang qui se glace. Culotine leur montre la porte de la prison et se poste au coin de la rue :

– J'fais le guet ! Grouillez-vous !

Marcelin et Margot se dirigent vers la porte, devant laquelle se tient un garde. Soudain, Brutus sort de la poche de la fillette et court vers l'homme. Il grimpe sur sa veste, lui lèche les oreilles et le visage. Surpris, le garde se tortille dans tous les sens.

Marcelin en profite : il sort le jambon de son sac et, avec, il assomme le garde, qui s'écroule d'un coup. Ni une ni deux, Margot introduit la clé dans la serrure, entre dans la prison et appelle sa mère. Soutenue par les deux enfants, Cornélie se retrouve dans la rue quelques instants plus tard.

Pendant que Margot et sa mère s'étreignent, Marcelin rejoint Culotine, toujours postée au coin de la rue. Il lui tend l'énorme jambon :

– Tiens, v'à pour toi ! Attention, c'est une arme redoutable !

La gamine éclate de rire et disparaît en courant, le jambon sur l'épaule.

Quelques jours plus tard, Antoine prépare un bouillon avec raves, carottes, pois et fèves dans la cheminée. Margot coupe de grosses tranches de pain noir en regardant sa mère :

suite page 43

CE QUI CHANGE DANS LA VIE DES FRANÇAIS

Les départements

En 1790, la France est découpée en 83 départements qui ont à peu près la même taille. Un conseil général gouverne chaque département. Avant la Révolution, la France était divisée en provinces qui avaient chacune leurs impôts et leurs lois.

L'état civil

En 1792, pour la première fois, les Français doivent se marier civilement. La Révolution oblige les mairies à avoir des registres d'état civil pour noter les dates des mariages. La même année, le divorce est autorisé. Avant, les gens pouvaient se marier uniquement à l'église, et divorcer était interdit.

La religion

Les protestants et les juifs vivant en France ont désormais le droit de pratiquer librement leur religion. Avant 1789, la seule religion reconnue en France était le catholicisme.

Le système des mesures

En 1795, il est décidé que le mètre, l'are, le gramme et le litre seront les mesures utilisées par tous. Avant la Révolution, on mesurait en arpent, aune, pinte, toise… C'était compliqué, car ces mesures changeaient de valeur d'une région à l'autre.

La presse

En 1790, la censure est supprimée, chacun peut s'exprimer librement. Au moins 500 journaux naissent pendant la Révolution ! Les plus connus sont *L'ami du peuple* et *Le père Duchesne*. Avant 1789, le roi pouvait emprisonner ceux qui ne partageaient pas ses idées. Les journaux étaient rares.

Les billets de banque

On utilise pour la première fois du papier-monnaie : les assignats. Ce sont les premiers billets. Avant 1789, il n'y avait que des pièces d'or, d'argent et de cuivre.

41

– Ma petite maman, tu dois reprendre des forces.

Marcelin arrive, les bras chargés de journaux, et lance :

– Nous avons gagné la guerre ! Demain, la République est proclamée ! Vive la Nation !

Marcelin soulève son chapeau, d'où glissent quelques cocardes qui atterrissent sur la table. Il raconte :

– Les Prussiens étaient à Valmy, prêts à marcher sur Paris. Mais, en pleine nuit, les Français les ont fait battre en retraite. C'est la victoire de la Révolution !

Margot sait que plus rien ne sera jamais comme avant. Elle ne peut s'empêcher de penser à la famille royale. Dans un coin de la pièce, Brutus est endormi sur l'édredon bleu de la reine. Et ce farceur de Marcelin est en train de lui attacher une cocarde au bout de la queue.

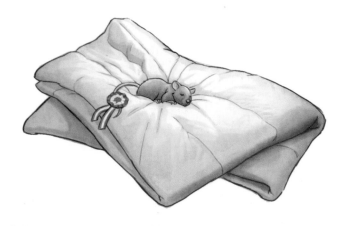

LA MORT DE LOUIS XVI

Les révolutionnaires ont voté la mort du roi. Le 21 janvier 1793, Louis XVI monte sur l'échafaud.

1. Louis XVI s'adresse à la foule : « Je meurs innocent de tous les crimes qu'on m'impute. Je pardonne aux auteurs de ma mort. »

2. Le cou est dégagé pour que la lame tranche la tête d'un coup.

3. Les mains sont liées avec un mouchoir.

4. La place de la Révolution, où se passe l'exécution, est aujourd'hui la place de la Concorde, à Paris. Une foule immense assiste à la mort du roi.

5. Le bourreau s'appelle Sanson. Avec ses aides, il va attacher le roi sur la planche verticale et le faire basculer sous le couperet.

6. Le couperet de la guillotine : en tombant, il va couper la tête du roi. Ensuite, le bourreau prend la tête par les cheveux et la montre à la foule qui crie : « Vive la République ! »

7. Les gardes sont 80 000 à surveiller Paris en ce jour.

Retrouve les nouvelles collections Images Doc en librairie !

Le magazine de la découverte qui stimule la curiosité

DANS LA MÊME COLLECTION

LA VÉRITABLE HISTOIRE de **Titus** le jeune Romain gracié par **l'empereur**

LA VÉRITABLE HISTOIRE de **Néferet** petite Égyptienne qui sauva le trésor du pharaon

LA VÉRITABLE HISTOIRE de **Bartholomé** le petit bâtisseur de **cathédrales**

LA VÉRITABLE HISTOIRE de **Marcel** soldat pendant la **Première Guerre** mondiale

LA VÉRITABLE HISTOIRE de **Jules** jeune **tambour** de l'armée de **Napoléon**

LA VÉRITABLE HISTOIRE de **Thordis** la petite Viking qui partit à la découverte de **l'Amérique**

LA VÉRITABLE HISTOIRE de **Timée** qui rêvait de gagner aux **jeux Olympiques**

LA VÉRITABLE HISTOIRE de **Diego** le jeune mousse de **Christophe Colomb**

LA VÉRITABLE HISTOIRE de **Louise** petite ouvrière dans une **mine** de **charbon**

LA VÉRITABLE HISTOIRE de **Margot** petite vendangeuse pendant la **Révolution** française

LA VÉRITABLE HISTOIRE de **Myriam** enfant juive pendant la **Seconde Guerre** mondiale

LA VÉRITABLE HISTOIRE de **Pierrot** serviteur à la Cour de **Louis XIV**

LA VÉRITABLE HISTOIRE de **Yéga** l'enfant de la **préhistoire** qui aimait les **chevaux**

LA VÉRITABLE HISTOIRE de **Paulin** le petit paysan qui rêvait d'être **chevalier**

LA VÉRITABLE HISTOIRE de **Livia** qui vécut les dernières heures de **Pompéi**

LA VÉRITABLE HISTOIRE de **Sandro** apprenti de **Léonard de Vinci**

LA VÉRITABLE HISTOIRE de **Léon** qui vécut la **libération** de Paris

LA VÉRITABLE HISTOIRE de **Cléandre** comédien dans la **troupe** de **Molière**

LA VÉRITABLE HISTOIRE de **Tana** l'enfant qui sculptait les **menhirs**

LA VÉRITABLE HISTOIRE de **Coumba** petite esclave au **XVIIIe** siècle